KOCSÁR MIKLÓS

ZONGORADARABOK
PIANO PIECES
KLAVIERSTÜCKE
PIÈCES POUR PIANO

Miniature

~

Öt kis zongoradarab • Five little piano pieces
Fünf kleine Klavierstücke • Cinq petites pièces pour piano

~

Négy vázlat • Four Sketches • Vier Skizzen • Quatre esquisses

~

Sonatina

EDITIO MUSICA BUDAPEST

H-1370 Budapest, P.O.B. 322 • Tel.: (361) 236-1100 • Telefax: (361) 236-1101
E-mail: emb@emb.hu • Internet: http://www.emb.hu

Miniature

1. Marcia

KOCSÁR Miklós
(*1933)

Z. 14 655

4

2. Intermezzo

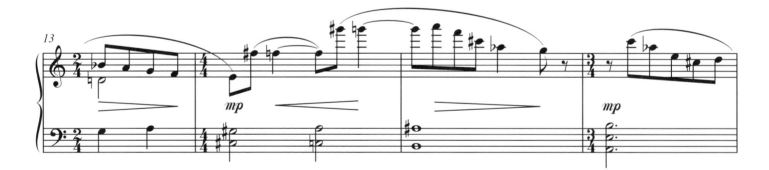

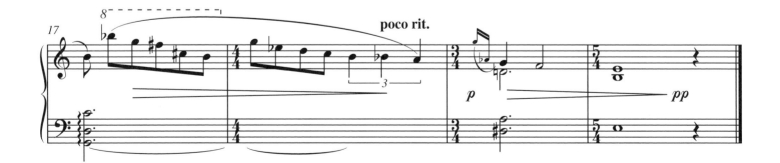

Z. 14 655

3. Capriccio

Allegretto leggiero

6

4. Elegico

5. Burlesca

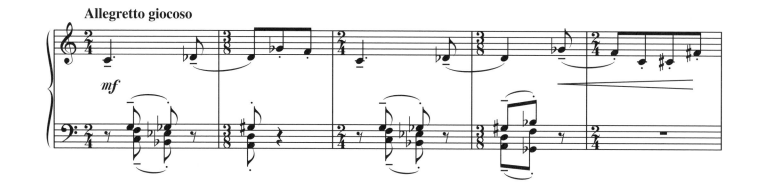

6. Ballata

(Budapest, 1956 ápr.)

7. Toccatina

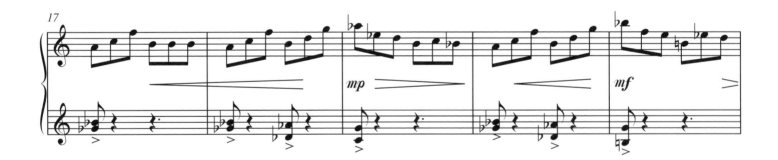

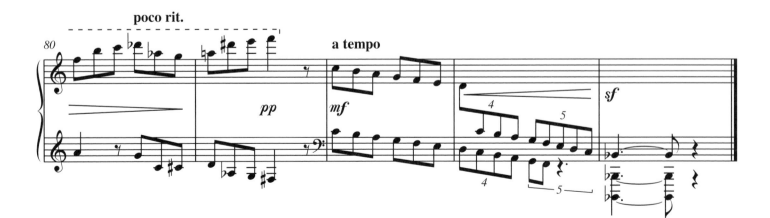

(Budapest, 1955 okt. – nov.)

Öt kis zongoradarab – Five little piano pieces
Fünf kleine Klavierstücke – Cinq petites pièces pour piano

1. Marcietta

2. Barcarola

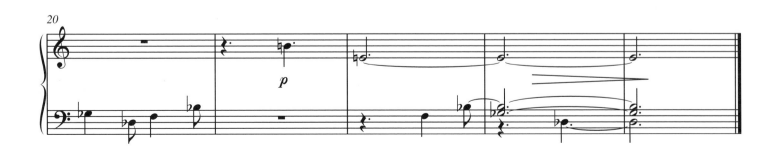

3. Scherzino

Allegro

Meno mosso

4. Valse triste

5. Toccatina

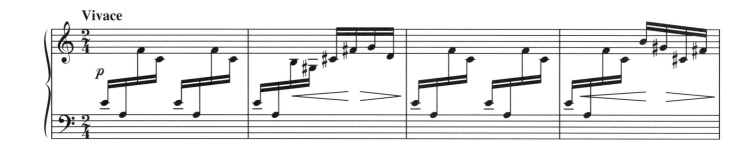

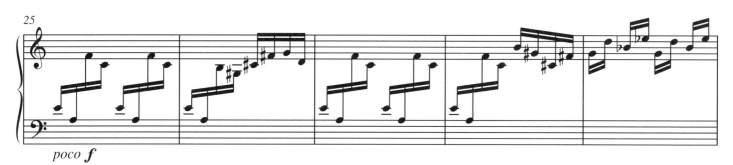

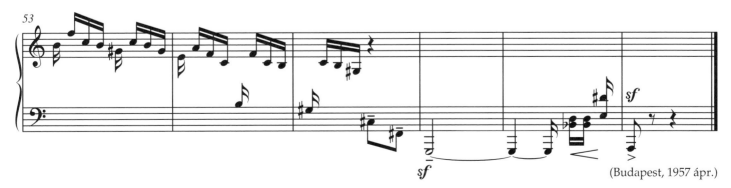

(Budapest, 1957 ápr.)

Négy vázlat – Four sketches
Vier Skizzen – Quatre esquisses

1. A kedves – Good-natured – Die Liebe – L'aimable

2. A morcos – Grumpy – Die Grimmige – La maussade

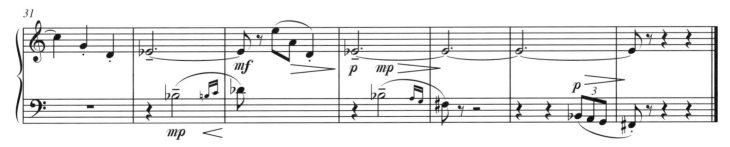

3. A komoly – Solemn – Die Ernste – La sérieuse

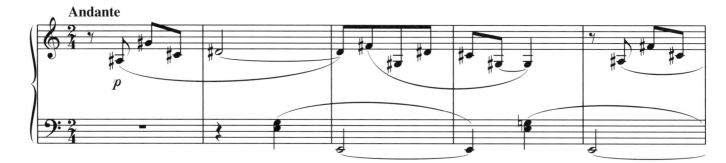

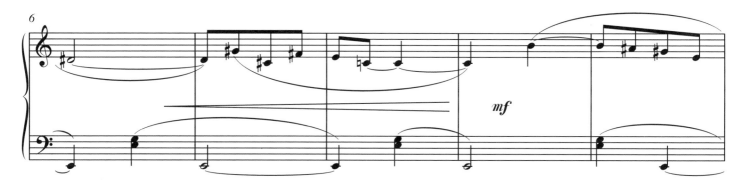

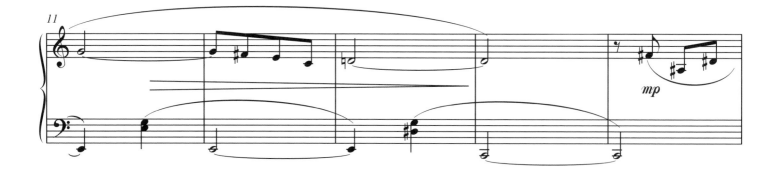

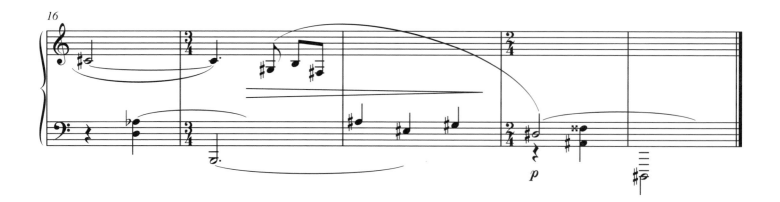

4. A kötekedő – Quarrelsome – Die Streitsüchtige – La chicanière

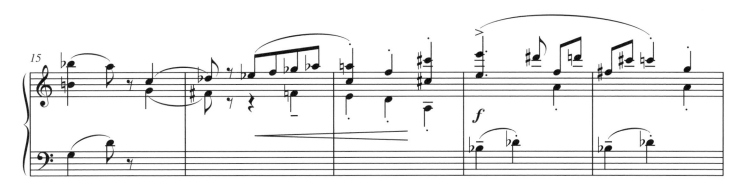

(Budapest, 1958 márc.,
revid. 2005 máj.)

Polgár Mariannak

Sonatina

I

II

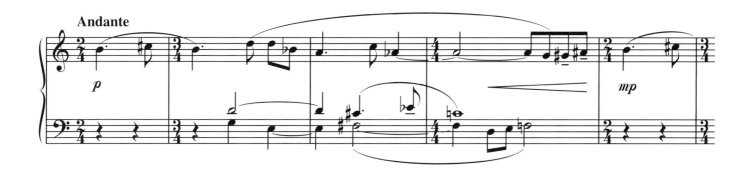

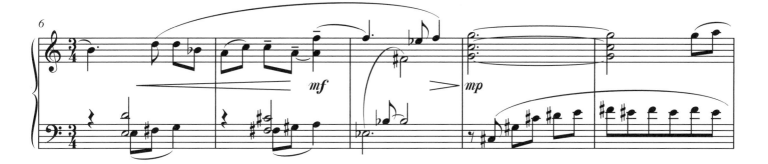

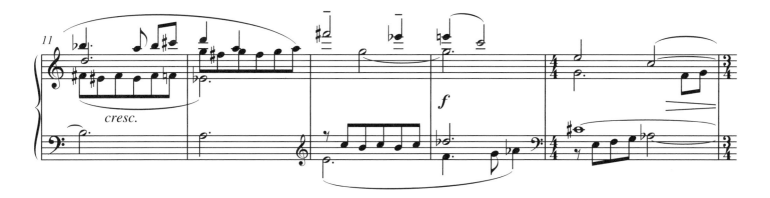

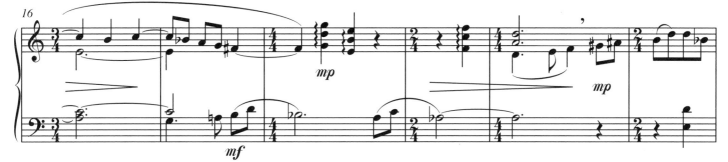

III

Allegretto giocoso

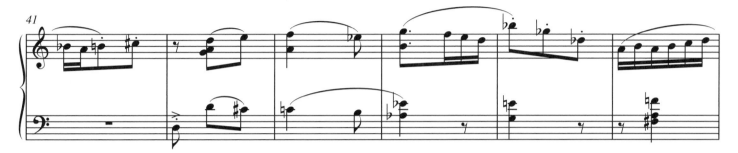

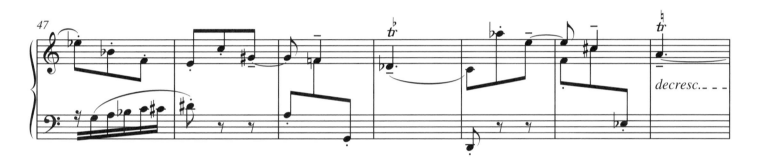

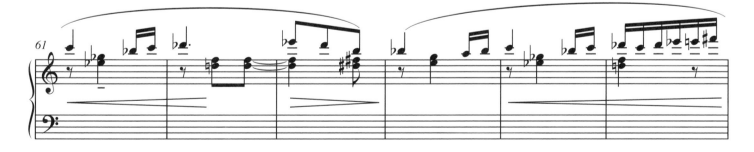

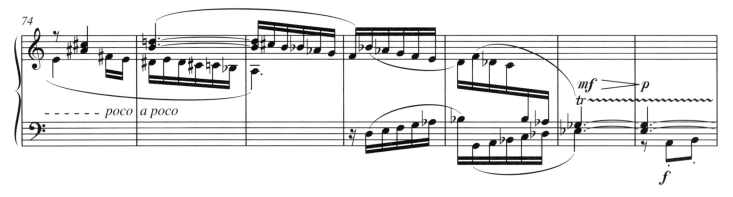

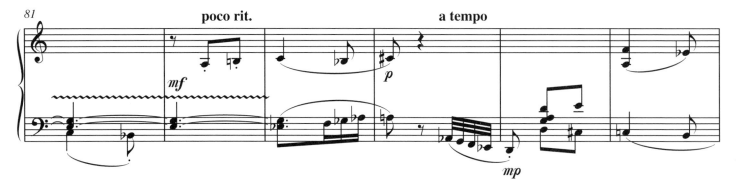

(Budapest, 1956 febr.– márc.)